CW01065269

DOCUMENT RÉDIGÉ
TITULAIRE D'UN N
ET LITTÉRATURES FR.........
(UNIVERSITÉ CATHOLIQUE DE LOUVAIN)

# Les Fleurs du mal

## BAUDELAIRE

lePetitLittéraire.fr

# Rendez-vous sur lePetitLittéraire.fr et découvrez :

- plus de 1200 analyses
- claires et synthétiques
- téléchargeables en 30 secondes
- à imprimer chez soi

**Code promo : LPL-PRINT-10**

# Charles Baudelaire
## Poète, essayiste et traducteur français

- **Né en 1821 à Paris**
- **Décédé en 1867 à Paris**
- **Quelques-unes de ses œuvres littéraires :**
  - *Les Fleurs du mal* (1857, rééditions en 1861, 1865 et 1868), recueil de poésie
  - *Les Paradis artificiels* (1860), essai
  - *Le Peintre de la vie moderne* (1863), essai

Charles Baudelaire, né en 1821 à Paris, écrit ses premiers vers à l'âge de 17 ans. Quelques années plus tard, il rencontre plusieurs figures marquantes du monde littéraire, telles que Théophile Gautier (1811-1872), Théodore de Banville (1823-1891) ou encore Sainte-Beuve (1804-1869). En 1847, il découvre l'œuvre d'Edgar Allan Poe, dont il devient le traducteur passionné. En ce qui concerne sa poésie, malgré quelques poèmes publiés dans diverses revues, le succès se fait attendre.

Les choses s'accélèrent en 1857, quand son œuvre *Les Fleurs du mal* est éditée par son grand ami Auguste Poulet-Malassis (1825-1878). Le recueil fait scandale et Baudelaire est condamné à en retirer quelques poèmes. S'il lui vaut la célébrité, ce procès atteint pourtant profondément le poète, qui voit son œuvre dénaturée.

Atteint d'hémiplégie et d'aphasie, il décède à Paris, âgé d'à peine 46 ans.

# Les Fleurs du mal
## Un recueil poétique
## au parfum de scandale

- **Genre :** poésie
- **Édition de référence :** *Les Fleurs du mal*, Paris, Le Livre de Poche, coll. « Les classiques de poche », 1999
- **1re édition :** 1857
- **Thématiques :** modernité et romantisme, début du symbolisme, amour, spleen, figure du poète maudit

*Les Fleurs du mal* est le recueil principal de l'œuvre poétique de Baudelaire. Il regroupe les poèmes écrits par l'auteur à partir de 1841, date à laquelle il rencontre son premier amour, jusqu'en 1855. C'est un de ses amis qui lui suggère le titre sous lequel il paraitra, *Les Fleurs du mal*.

Lors de sa sortie en 1857, le recueil est poursuivi en justice pour outrage à la morale publique et aux bonnes mœurs. Baudelaire est condamné, en plus d'une amende, à retirer six poèmes du recueil. Une seconde édition retravaillée parait donc en 1861. Les six pièces problématiques ont disparu, et l'œuvre comporte désormais six parties : « Spleen et Idéal », « Tableaux parisiens », « Le Vin », « Fleurs du mal », « Révolte » et « La Mort ».

# RÉSUMÉ

*Les Fleurs du mal*, recueil magistral de Charles Baudelaire, constitue une grande partie de l'œuvre poétique de l'auteur entre 1841 et 1857, année de parution du recueil. Ce dernier est composé, depuis l'édition de 1861, de six parties qui possèdent chacune leur propre esthétique, tout en formant un ensemble cohérent.

## « SPLEEN ET IDÉAL »

La partie « Spleen et Idéal » comporte 85 poèmes et est la plus volumineuse du recueil. L'écriture y est extrêmement complexe et a pour particularité de se concentrer sur plusieurs figures abstraites, ayant même parfois trait au spirituel et au divin.

Le point de départ de cette partie du recueil est la tentative de consécration du poète dans son rôle de prophète, d'envoyé de Dieu pour guider les hommes vers un idéal. Cependant, le poète-prophète est incompris des autres hommes qui le rejettent, ce qui le plonge dans la mélancolie – le spleen –, thème qui est développé dans les poèmes suivants.

Après ces premières pièces centrées sur l'artiste, le reste des poèmes de « Spleen et Idéal » se concentre sur le thème de l'amour : on y distingue trois cycles, correspondant chacun à une femme que Baudelaire a aimée : Jeanne Duval (avec des poèmes comme « Les Bijoux » ou « Le serpent qui danse »), M^me Sabatier (avec les poèmes « Aube spirituelle », « Harmonie du soir » ou « Le Flacon ») et Marie Daubrun (« Le Poison » ou « L'Invitation au voyage »).

Enfin, les derniers poèmes de cette partie témoignent du désespoir total du poète, particulièrement perceptible dans le poème « L'Horloge » qui traite de la fatalité du temps qui passe.

## « TABLEAUX PARISIENS »

Cette partie a été ajoutée dans la version de 1861. Elle est composée de 18 poèmes, dont 10 sont inédits. La signification et l'écriture des poèmes qui s'y trouvent s'éloignent des éléments abstraits et laissent place à des réalités plus terre-à-terre, sans la moindre allusion au divin.

Cependant, contrairement à ce que le titre de cette partie pourrait suggérer, la description de la ville n'est pas l'objectif de l'écriture de ces poèmes. En effet, ces derniers « évoquent la poésie de la ville et de Paris sans doute, mais, en dépit du titre, ne sont pas exclusivement voués à la description. L'intérêt pour le poète et la justification de cette section dans le cadre général, c'est le drame humain, et le Mal, dont ces tableaux sont le décor. » (MOUROT J., *Baudelaire. Les Fleurs du mal*, Nancy, Presses Universitaires de Nancy, coll. « Phares », 1989, p. 133)

Cette partie suit la structure d'une journée : Baudelaire commence par des poèmes décrivant la vie durant le jour (« Le Soleil », « À une passante », etc.) jusqu'au « Crépuscule du soir », et continue par des poèmes nocturnes (« Danse macabre », « Rêve parisien », etc.), pour finir par « Le Crépuscule du matin » démarrant une nouvelle journée.

## « LE VIN »

Il s'agit d'une série de cinq poèmes sur le vin qui n'est pas sans nous rappeler le gout de Baudelaire pour l'alcool. Il évoque les effets, positifs ici, de l'alcool sur différentes catégories de personnes : les chiffonniers, l'assassin, le solitaire et les amants.

## « FLEURS DU MAL »

Dans cette partie rassemblant neuf poèmes, nous retrouvons l'aspect théologique de la réflexion de Baudelaire, mais le poète cède à présent aux avances du démon, qui étaient déjà palpables dans la fin de la partie « Spleen et Idéal ». Tout n'est plus ici que damnation. Baudelaire va même jusqu'à qualifier la débauche et la mort de « deux bonnes sœurs » (« Les Deux Bonnes Sœurs »). Dans « L'Amour et le Crâne », la figure de l'Amour devient une figure profane, cruelle et malveillante. Le mélange entre le divin et le profane est ici explicite.

Le poète nous parle de femmes inaccessibles qui le poussent vers le mal, en particulier « La Béatrice », qui rappelle la cruelle ombre de Béatrice dans *La Divine Comédie* (1320) de Dante (1265-1321), qui disparait après avoir mené Dante aux portes du paradis. Sa disparition désespère l'auteur qui en était éperdument amoureux.

## « RÉVOLTE »

« Révolte », qui comprend trois poèmes, fait écho à la fameuse condition de prophète incompris développée au début du recueil. Mais contrairement à la section « Spleen et Idéal », où il ne dressait qu'un constat de sa misérable condition, Baudelaire marque ici sa révolte contre cette injustice en particulier, et contre l'injustice en général, en mettant en scène des personnages bibliques qui sont des figures de révolte (« Abel et Caïn » ou « Le Reniement de saint Pierre »). L'allégorie entre Jésus et le poète-prophète maudit est également implicite dans « Le Reniement de saint Pierre », avec l'épisode du Jardin des Oliviers, où Jésus est arrêté avant d'être crucifié.

## « LA MORT »

Les six poèmes de cette section du recueil ne se trouvent pas en dernière place par hasard, puisqu'ils rappellent la fin inéluctable de chacun. Cette mort est considérée par Baudelaire comme libératrice des turpitudes de la vie, de cette terre porteuse de vices ; elle permet de vivre dans la lumière du paradis.

# ÉCLAIRAGES

## CONTEXTE HISTORIQUE

Durant la période de rédaction du recueil, de 1841 à 1857, la France connait une phase de grande instabilité politique, passant par trois régimes différents.

En 1840, nous sommes encore sous la monarchie de Juillet, monarchie constitutionnelle qui résulte des révoltes de juillet 1830 avec l'accession au trône du roi Louis-Philippe Ier. Ce nouveau régime devait briser les codes de la monarchie absolue, qui était de retour entre 1815 et 1830. Il sera pourtant rythmé par des crises sociales (pauvreté, épidémie de choléra, etc.) et internationales jusqu'à sa chute en 1848.

Est alors proclamée la Seconde République, qui voit une première élection présidentielle remportée par Louis-Napoléon Bonaparte, neveu de l'ex-empereur Napoléon Ier et futur Napoléon III. Ce régime durera jusqu'au 2 décembre 1851, jour où Louis-Napoléon décide de faire un coup d'État : il proclame en force le suffrage universel et demande au peuple d'assoir son pouvoir.

Ainsi, l'année 1852 marque l'avènement du Second Empire, dirigé par Napoléon III. La période allant de 1852 à 1860 voit la mise en place d'un empire de plus en plus autoritaire, avec contrôle de tous les pouvoirs par l'empereur. Au niveau économique, la France retrouve la prospérité, profitant d'une conjoncture favorable en ce milieu de XIXe siècle.

# BAUDELAIRE DEVANT LA JUSTICE

Le 5 juillet 1857, un journaliste du *Figaro* fait une critique virulente du recueil. On peut notamment lire dans son papier :

> J'ai lu le volume [...]. L'odieux y coudoie l'ignoble ; le repoussant s'y allie à l'infect. [...] Jamais on n'assista à une telle revue de démons, de fœtus, de diables, de chloroses, de chats et de vermine. Ce livre est un hôpital ouvert à toutes les démences de l'esprit, à toutes les putridités du cœur [...].

Suite à cette publicité malsaine, un procès contre Baudelaire et ses éditeurs s'ouvre à Paris le 20 août 1857. Les chefs d'accusation : outrage à la morale publique et aux bonnes mœurs, et offense à la morale religieuse. Ce procès est cohérent avec la politique du Second Empire, qui promeut un retour à l'ordre moral.

L'avocat de la défense, Gustave Gaspard Chaix d'Est-Ange (1832-1887), qui avait plaidé avec succès pour une affaire similaire quelques mois plus tôt (concernant *Madame Bovary* de Gustave Flaubert), reprend du service. Il plaide en évoquant les règles de l'art et en soutenant que Baudelaire a évoqué ces outrages aux bonnes mœurs pour mieux les dénoncer. Il prend à témoin la lettre « Au lecteur » se trouvant en début de recueil, où l'auteur l'avertit de ce qu'il va y trouver. L'avocat va même jusqu'à prendre l'exemple de Molière qui, dans ses pièces, dénonçait, de manière parfois outrageuse, les travers de ses contemporains. Il demande évidemment l'acquittement de ses clients.

Le résultat du procès est malgré tout négatif : Baudelaire et ses éditeurs sont condamnés pour délit d'outrage à la morale et aux bonnes mœurs (les charges portant sur l'offense à la morale religieuse ayant été abandonnées). Baudelaire devra payer une amende de 300 francs de l'époque, et le juge ordonne la suppression de six pièces du recueil.

Mais l'auteur lui-même ne sortira pas indemne de ce procès qu'il n'arrêtera de contester, car « ce qu'il ne peut admettre, c'est la condamnation d'un artiste par des juges, et surtout, l'incompréhension de la véritable signification du recueil. » (MOUROT J., *Baudelaire. Les Fleurs du mal*, Nancy, Presses Universitaires de Nancy, coll. « Phares », 1989, p. 125-126) En effet, Baudelaire trouve insupportable qu'on l'accuse de réalisme.

# CLÉS DE LECTURE

## BAUDELAIRE ET LE DANDYSME

Baudelaire a été fortement influencé par le dandysme, mouvement venu d'Angleterre, dont il devient l'une des figures phares en France. Usant de manières affectées à l'extrême, le dandy proclame l'importance l'esthétique face à une société qui refuse toute valeur à la beauté.

Chez Baudelaire, cette mode se traduit dans son style de vie – il se vêt avec élégance –, mais également dans sa littérature, où il fait l'éloge du beau à travers lequel l'homme peut prétendre à une spiritualité profonde.

Le dandysme fait partie intégrante de la modernité de Baudelaire, thème qu'il développe dans son essai *Le Peintre de la vie moderne*. D'ailleurs, selon Michel Brix, « l'œuvre de Baudelaire trace la frontière entre le romantisme et "la modernité" qui se met en place dans la deuxième moitié du XIXᵉ siècle » (BRIX M., *Histoire de la littérature française. Voyage guidé dans les lettres du XIᵉ au XXᵉ siècle*, Louvain-la-Neuve, De Boeck, 1985, p. 246).

Dans *Les Fleurs du mal*, le dandysme s'incarne surtout dans la figure du poète maudit, qui sans cesse recherche le beau autour de lui et tente de le transmettre à ses contemporains, tandis que ceux-ci refusent de l'entendre et rejettent l'art au profit du matérialisme.

# LE STATUT DU POÈTE

Baudelaire défend dans son recueil un statut évolutif de l'artiste en général, et du poète en particulier, principalement dans la partie « Spleen et Idéal ». L'artiste est ainsi un poète maudit, voué à rester seul et incompris par les hommes. C'est la perception de cette malédiction par le poète qui évolue au fil des poèmes.

Bien que maudit, le poète est d'abord pour Baudelaire un envoyé de Dieu, un prophète, qui, par sa littérature, doit montrer à l'homme le chemin à suivre. Malheureusement, sa poésie est vouée à rester incomprise par ses contemporains. Mais, empli de l'espoir de voir un jour la lumière divine et de profiter des plaisirs divins, le poète célèbre tout de même le Créateur et se moque des souffrances qu'il doit endurer.

Le premier poème du recueil, intitulé « Bénédiction », illustre bien ce point de vue. À noter, la majuscule est mise au mot « poète » pour marquer son rôle de prophète.

> « Lorsque, par un décret des puissances suprêmes,
> Le Poète apparaît en ce monde ennuyé,
> Sa mère épouvantée et pleine de blasphèmes
> Crispe ses points vers Dieu, qui la prend en pitié. (v. 1-4)

> [...]

> « Tous ceux qu'il veut aimer l'observent avec crainte,
> Ou bien, s'enhardissant de sa tranquillité,
> Cherchent à qui saura lui tirer une plainte,
> Et font sur lui l'essai de leur férocité (v. 29-32)

[...]

« Soyez béni, mon Dieu, qui donnez la souffrance
Comme un divin remède à nos impuretés (v. 57-58)

[...]

« Je sais que vous gardez une place au Poète
Dans les rangs bienheureux des saintes Légions,
Et que vous l'inviterez à l'éternelle fête (v. 61-63)

[...]

« Je sais que la douleur est la noblesse unique
Où ne mordront jamais la terre et les enfers
Et qu'il faut pour tresser ma couronne mystique
Imposer tous les temps et tous les univers. » (v. 65-68)

Le très célèbre poème « L'Albatros » s'inscrit dans la continuité du précédent en ce qui concerne le mal-être du poète.

« Souvent, pour s'amuser, les hommes d'un équipage
Prennent des albatros, vastes oiseaux des mers (v. 1-2)

[...]

« À peine les ont-ils déposés sur les planches,
Que ces rois de l'azur, maladroits et honteux,
Laissent piteusement leurs grandes ailes blanches
Comme des avirons traîner à côté d'eux. (v. 5-8)

[...]

> « Le Poète est semblable au prince des nuées
>
> Qui hante la tempête et se rit de l'archer ;
>
> Exilé sur le sol, au milieu des huées,
>
> Ses ailes de géant l'empêchent de marcher. » (v. 13-16)

Dans le poème suivant, intitulé « Élévation », Baudelaire nous enjoint à mépriser ce qui est sur terre, ce qui est bas et vil, pour nous tourner vers un autre monde, un monde idéal, plus abstrait, symbolisé par des éléments lumineux et célestes qui contrastent avec la putride terre des hommes.

> « Envole-toi bien loin de ces miasmes morbides ;
>
> Va te purifier dans l'air supérieur,
>
> Et bois, comme une pure et divine liqueur
>
> Le feu clair qui remplit les espaces limpides. (v. 9-12)
>
> [...]
>
> « Heureux celui qui peut d'une aile vigoureuse
>
> S'élancer vers les champs lumineux et sereins ; » (v. 15-16)

Dans le poème « Les Phares », Baudelaire éclaircit encore davantage la mission sacrée de l'artiste en utilisant l'exemple de grands peintres – un autre type d'artiste-prophète – de toutes époques. Ainsi, « la pièce proclame la signification morale de l'art transfigurateur » (MOUROT J., *Baudelaire. Les Fleurs du mal*, Nancy, Presses Universitaires de Nancy, coll. « Phares », 1989, p. 118). Baudelaire fait ainsi un parallèle entre ce qui constitue l'esthétique de ces peintres et son rôle historique de conseiller moral envers les non-poètes.

> « C'est un cri répété par mille sentinelles,
> Un ordre renvoyé par mille voix ;
> C'est un phare allumé sur mille citadelles,
> Un appel de chasseurs perdus dans les grands bois !
>
> « Car c'est vraiment, Seigneur, le meilleur témoignage
> Que nous puissions donner de notre dignité
> Que cet ardent sanglot qui roule d'âge en âge
> Et vient mourir au bord de votre éternité ! » (v. 37-44)

Dans les cinq pièces suivantes, intitulées « La Muse malade », « La Muse vénale », « Le Mauvais Moine », « L'Ennemi » et « Le Guignon », on devine un changement progressif d'orientation, une certaine attirance du poète envers l'enfer. Fatigué de ses échecs successifs, il commence à perdre courage et confiance en Dieu.

> « Il te faut, pour gagner ton pain, chaque soir,
> Comme un enfant de chœur, jouer de l'encensoir,
> Chanter des Te Deum auxquels tu ne crois guère »
> (« La Muse vénale », v. 9-11)
>
> « Pour soulever un poids si lourd
> Sisyphe, il faudrait ton courage !
> Bien qu'on ait du cœur à l'ouvrage,
> L'Art est long et le Temps est court. » (« Le Guignon », v. 1-4)

Enfin, dans les six poèmes suivants, Baudelaire invite le poète à s'évader, à quitter ce monde terrestre fait d'incompréhension, que ce soit en faisant un voyage imaginaire ou en cédant à toutes les formes de beauté.

Ainsi, dans le poème « L'Homme et la Mer », la mer, en tant que vaste horizon inexploré et sauvage, reflète pour le poète un idéal de liberté. Il proclame : « Homme libre, toujours tu chériras la mer !/ La mer est ton miroir ; tu contemples ton âme » (v. 1-2).

Quant à la beauté, ses vertus – blancheur, pureté, etc. – sont vantées dans les poèmes « La Beauté », « L'Idéal », « La Géante » et « Le Masque ».

Le poète passe donc, dans ces divers poèmes qui constituent le début du recueil, par tous les sentiments inhérents, selon Baudelaire, à son statut d'artiste maudit : d'un simple sentiment d'incompréhension contrebalancé par l'espoir d'être un élu, il trouve la volonté de guider les non-poètes, se sentant investi de cette mission sacrée qu'il partage avec les artistes de tous les temps. Puis, envahi d'un sentiment d'échec et de découragement, le poète admet être tenté par son côté plus obscur, avant de recommander l'évasion de ce monde matérialiste à travers l'imagination et le beau.

## LE SPLEEN BAUDELAIRIEN

Le spleen, notion reprise par Baudelaire, est en fait introduit par François René de Chateaubriand (écrivain français, 1768-1848) et déjà fréquemment utilisé par la littérature romantique.

Cependant, il existe un spleen typiquement baudelairien qui regroupe différents concepts, comme l'angoisse, la mélancolie, le guignon (malchance qui persiste) ou l'ennui, concepts qu'il exploite de manière quasiment permanente dans *Les Fleurs du mal*. « Il y a dans le spleen baudelairien le sentiment

[...] d'un mal [...] inhérent à la condition de mortel, qui vit son existence terrestre comme dans un cachot, un hôpital, un lieu d'exil. » (VERLET A., « Le spleen, une vanité profane », in *Le magazine littéraire*, n° 418, février 2003, p. 35)

Ainsi, dans *Les Fleurs du mal*, le poète maudit vit son existence comme enfermé dans un carcan dont il ne peut se défaire. Ce sentiment est surtout présent à la fin de la partie « Spleen et Idéal », quand le poète prend pleinement conscience du rejet de son art par les hommes et de l'impossibilité d'atteindre son idéal.

## DE L'AMOUR DE DIEU À LA SOUMISSION AU DÉMON

*Les Fleurs du mal* est un recueil qui décrit la situation d'un poète suivant une ligne directrice. Au début, le poète est un envoyé divin envahi par le spleen, lorsqu'il est rejeté par les hommes, mais il glisse tout doucement, au fur et à mesure du recueil, vers la soumission au mal.

Dans la partie « Spleen et Idéal », le poète, envoyé divin, ne s'adresse qu'à Dieu et aux identités abstraites qui forment son idéal. Il leur rend compte de son activité de poète maudit, désireux de s'échapper du monde des hommes pour s'élever spirituellement vers un monde supérieur, qui s'avère être impossible à atteindre.

Cependant, dès la seconde partie, « Tableaux parisiens », le démon s'immisce dans l'âme du poète, surtout à partir du poème « Le Crépuscule du soir », où la ville et le soir sont associés au mal. Ce dernier se dévoile bientôt sous la forme de l'apologie de l'alcool et des paradis artificiels dans la partie « Le Vin ». Toutefois, c'est véritablement dans les parties « Fleurs du mal » et « Révolte » que le démon prend les pleins pouvoirs sur le poète. Comme le dit Baudelaire dans le premier poème de la partie « Fleurs du mal », « La Destruction » :

> « Sans cesse à mes côtés s'agite le Démon ;
> Il nage autour de moi comme un air impalpable (v. 1-2)
>
> [...]
>
> « Il me conduit ainsi loin du regard de Dieu » (v. 9)

Les symboles de la débauche et de la damnation se multiplient dans ces deux parties (femmes damnées, débauche, enfer, lupanars, blasphèmes, etc.). L'utilisation du mythe biblique d'Abel et Caïn, première évocation du diable dans l'histoire, dans le poème éponyme de la partie « Révolte », permet à Baudelaire de prendre le parti de l'assassin maudit par Dieu.

Bientôt, l'auteur admet sa totale soumission au démon, dans « Les Litanies de Satan », le dernier poème de la partie « Révolte », où l'anaphore (répétition d'un mot ou d'un groupe de mots au début de phrases successives pour produire un effet de symétrie ou de renforcement) « Ô Dieu » du début du recueil est remplacée par des « Ô Satan » et « Ô Prince de l'exil ».

Malgré tout, le poète retrouve une certaine affinité avec le divin dans la dernière partie, « La Mort », où il décrit la fin de différentes catégories de personnes (les amants, les pauvres, les artistes), qui quittent finalement le monde putride des hommes pour côtoyer la perfection divine.

# PISTES DE RÉFLEXION

## QUELQUES QUESTIONS
## POUR APPROFONDIR SA RÉFLEXION...

- La lecture de ce recueil de poésie vous a-t-il fait aimer le genre ? Justifiez votre réponse.

- *Les Fleurs du mal* de Baudelaire ont fait l'objet de poursuites pour atteinte aux bonnes mœurs en 1857. Cette même année, une autre œuvre majeure de la littérature française a fait l'objet des mêmes attaques. Laquelle ? Quelles scènes de cette dernière œuvre, en particulier, étaient mises en cause ?

- Baudelaire a été condamné à retirer six poèmes de son recueil, aujourd'hui accessibles dasn les éditions contemporaines, pour outrage à la morale et aux bonnes mœurs. À la lecture de ceux-ci, quels éléments précis, selon vous, ont été concernés par cette accusation ?

- Expliquez l'architecture choisie par Baudelaire pour son recueil. Quelle en est sa signification ?

- Dans ce recueil, un poème semble être à part, en dehors de toute partie : il s'agit du poème introductif intitulé « Au lecteur ». Quelle est l'utilité selon vous d'un tel poème ? Pourquoi le mettre à part, en dehors de toute partie et en début de recueil, et pas ailleurs ?

- Tous les vers du recueil ne comptent pas le même nombre de pieds : la plupart des poèmes sont écrits en alexandrins (vers de 12 pieds), certains le sont en octosyllabes (vers de 8 pieds) et d'autres dans des formes plus rares en poésie, comme l'heptasyllabe. Pourquoi une telle irrégularité à votre avis ? Y a-t-il une symbolique particulière dans la métrique poétique ?

- La forme poétique dominante dans ce recueil est celle du sonnet. Qu'est-ce qu'un sonnet ? Trouvez-en cinq exemples dans le recueil.

- Dans les poèmes des *Fleurs du mal*, on rencontre plusieurs personnages mythologiques et religieux. Faites des recherches plus précises sur ces personnages afin de dégager la signification de leur présence dans chaque poème.

- Les historiens de la littérature ont tendance à placer Baudelaire dans le mouvement littéraire de la modernité. Recherchez les caractéristiques de ce mouvement dans son manifeste *Le Peintre de la vie moderne*. Après avoir fait vos recherches, trouvez également des exemples de ces caractéristiques dans les différents poèmes du recueil.

- En quoi les deux notions de spleen et d'idéal, qui structurent le recueil, sont à la fois complémentaires et contradictoires ?

# POUR ALLER PLUS LOIN

## ÉDITION DE RÉFÉRENCE

- Baudelaire C., *Les Fleurs du mal*, Paris, Le Livre de Poche, coll. « Les classiques de poche », 1999, 351 p.

## ÉTUDES DE RÉFÉRENCE

- Brix M., *Histoire de la littérature française. Voyage guidé dans les lettres du XIᵉ au XXᵉ siècle*, Louvain-la-Neuve, De Boeck, 1985, p. 245-247.
- Giusto J.P., *Charles Baudelaire. Les Fleurs du mal*, 2ᵉ éd., Paris, PUF, coll. « Études littéraires », 1985.
- Mourot J., *Baudelaire. Les Fleurs du mal*, Nancy, Presses Universitaires de Nancy, coll. « Phares », 1989.
- Verveine, « Charles Baudelaire... ou le procès des Fleurs du Mal », in *Le Figaro.fr*, consulté le 19 avril 2015. http://plus.lefigaro.fr/note/charles-baudelaire-ou-le-proces-des-fleurs-du-mal-20130124-1775071
- Verlet A., « Le spleen, une vanité profane », in *Le magazine littéraire*, n° 418, février 2003, p. 35-37.

## SUR LEPETITLITTÉRAIRE.FR

- Commentaire sur le poème « Correspondances » des *Fleurs du mal*

# Retrouvez notre offre complète sur lePetitLittéraire.fr

- des fiches de lectures
- des commentaires littéraires
- des questionnaires de lecture
- des résumés

**GAUDÉ**
- La Mort du roi Tsongor
- Le Soleil des Scorta

**GAUTIER**
- La Morte amoureuse
- Le Capitaine Fracasse

**GAVALDA**
- 35 kilos d'espoir

**GIDE**
- Les Faux-Monnayeurs

**GIONO**
- Le Grand Troupeau
- Le Hussard sur le toit

**GIRAUDOUX**
- La guerre de Troie
  n'aura pas lieu

**GOLDING**
- Sa Majesté des
  Mouches

**GRIMBERT**
- Un secret

**HEMINGWAY**
- Le Vieil Homme
  et la Mer

**HESSEL**
- Indignez-vous !

**HOMÈRE**
- L'Odyssée

**HUGO**
- Le Dernier Jour
  d'un condamné
- Les Misérables
- Notre-Dame de Paris

**HUXLEY**
- Le Meilleur des mondes

**IONESCO**
- Rhinocéros
- La Cantatrice chauve

**JARY**
- Ubu roi

**JENNI**
- L'Art français
  de la guerre

**JOFFO**
- Un sac de billes

**KAFKA**
- La Métamorphose

**KEROUAC**
- Sur la route

**KESSEL**
- Le Lion

**LARSSON**
- Millenium I. Les
  hommes qui n'aimaient
  pas les femmes

**LE CLÉZIO**
- Mondo

**LEVI**
- Si c'est un homme

**LEVY**
- Et si c'était vrai...

**MAALOUF**
- Léon l'Africain

**MALRAUX**
- La Condition humaine

**MARIVAUX**
- La Double Inconstance
- Le Jeu de l'amour
  et du hasard

**MARTINEZ**
- Du domaine
  des murmures

**MAUPASSANT**
- Boule de suif
- Le Horla
- Une vie

**MAURIAC**
- Le Nœud de vipères

**MAURIAC**
- Le Sagouin

**MÉRIMÉE**
- Tamango
- Colomba

**MERLE**
- La mort est mon métier

**MOLIÈRE**
- Le Misanthrope
- L'Avare
- Le Bourgeois
  gentilhomme

**MONTAIGNE**
- Essais

**MORPURGO**
- Le Roi Arthur

**MUSSET**
- Lorenzaccio

**MUSSO**
- Que serais-je
  sans toi ?

**NOTHOMB**
- Stupeur et
  Tremblements

**ORWELL**
- La Ferme des animaux
- 1984

**PAGNOL**
- La Gloire de mon père

**PANCOL**
- Les Yeux jaunes
  des crocodiles

**PASCAL**
- Pensées

**PENNAC**
- Au bonheur des ogres

**POE**
- La Chute de la
  maison Usher

**PROUST**
- Du côté de chez Swann

**QUENEAU**
- Zazie dans le métro

**QUIGNARD**
- Tous les matins
  du monde

**RABELAIS**
- Gargantua

**Et beaucoup d'autres sur lePetitLittéraire.fr**

ISBN version imprimée : 978-2-8062-6455-8
ISBN version numérique : 978-2-8062-6454-1
Dépôt légal : D/2015/12603/207

Conception numérique : Primento,
le partenaire numérique des éditeurs

Printed in Poland
by Amazon Fulfillment
Poland Sp. z o.o., Wrocław

60649561R00018